westermann

Diagnoseheft

Erarbeitet von

Heike Baligand, Angelika Föhl, Tanja Holtz und Nadine Pistor

in Zusammenarbeit mit der Westermann-Grundschulredaktion

Illustriert von

Karoline Kehr und Silke Reimers

Flex und Flora
Deutsch 2

Liebe Lehrerin, lieber Lehrer,

das vorliegenden **Diagnoseheft** umfasst 21 lernbegleitende Diagnosen zur Feststellung des individuellen Lernfortschritts jedes Kindes bei der Arbeit mit Flex und Flora. Ein Kind bearbeitet einen Diagnosebogen immer dann, wenn es im jeweiligen Heft am Ende einer Einheit auf das Stopp-Zeichen trifft.

Mit den lernbegleitenden Diagnosen wird versucht, die Ursachen möglicher Schwächen im Lernprozess des Kindes herauszufinden und daraus gegebenenfalls notwendige Fördermaßnahmen abzuleiten. Auch können Stärken der Kinder erkannt und im Anschluss Fordermaßnahmen eingeleitet werden.

Alle Seiten des Diagnoseheftes sind perforiert und gelocht. So können Sie jede Diagnose individuell an die Kinder verteilen. Nach der Bearbeitung können die Kinder dann die Seite mit nach Hause nehmen und gegebenenfalls in ihrem Portfolio-Ordner abheften.

Jede lernbegleitende Diagnose hat eine Vorder- und eine Rückseite. Auf der Vorderseite findet das Kind Aufgaben zur selbstständigen Bearbeitung. Die Aufgaben sind so gestaltet, wie die Kinder sie aus den Übungen in den Heften **Sprache untersuchen**, **Richtig schreiben**, **Texte schreiben** und **Lesen** bereits kennen.

Dies erleichtert den Kindern den Zugang zu den Aufgaben und nimmt ihnen anfängliche Unsicherheiten vor Überprüfungssituationen.
Die Kinder bearbeiten die einzelnen Diagnosebögen selbstständig. Die Bearbeitungszeit sollte in den Bereichen

Sprache untersuchen ca. 10 Minuten,
Richtig schreiben ca. 10 Minuten,
Texte schreiben ca. 10-20 Minuten und
Lesen ca. 15 Minuten

nicht überschreiten. Anschließend dokumentieren die Kinder, wie leicht oder schwer ihnen die Bearbeitung der Aufgaben gefallen ist, indem sie einen der Smileys unten auf dem Bogen ankreuzen oder ausmalen: 😃 🙂 😐 ☹.

Dabei stehen die Smileys für eine Selbsteinschätzung der eigenen Arbeit:

😃 Ich konnte alle Aufgaben ohne Probleme lösen.
🙂 Ich konnte fast alle Aufgaben ohne Probleme lösen.
😐 Bei einigen Aufgaben hatte ich Schwierigkeiten.
☹ Die Aufgaben waren noch zu schwierig für mich.

Auf der Rückseite jeder lernbegleitenden Diagnose haben Sie die Möglichkeit, eine Auswertung vorzunehmen. Dabei können Sie anhand einer dreistufigen Skala (sicher, teilweise, unsicher) den Lernstand des Kindes zuordnen bzw. vermerken, wenn eine Aufgabe nicht bearbeitet wurde. Zusätzlich gibt es ein Leerfeld, sodass Sie die Möglichkeit haben, dort eigene Kommentare und Hinweise, z. B. auf notwendige Fördermaßnahmen zu formulieren.

Nach Auswertung des jeweiligen Diagnosebogens bietet sich ein Lerngespräch mit dem einzelnen Kind an, in dem über die konkrete Weiterarbeit (Förder- und Fordermöglichkeiten) gesprochen wird. Die lernbegleitenden Diagnosen mit den Auswertungen können auch als Grundlage für Elterngespräche oder Förderkonferenzen genutzt und die darauf aufbauende Förderung oder Forderung so transparent gemacht werden. In der Handreichung zu Flex und Flora finden Sie im Kapitel **Hilfen zur Diagnose** eine Klassenübersicht, in der Sie den Lernstand jedes Kindes dokumentieren können. Außerdem bietet das Kapitel eine ausführliche Auswertung der lernbegleitenden Diagnosen mit notwendigen Fördermaßnahmen. Dabei wird neben umfangreichen Hinweisen auf die konkrete Arbeit mit den Materialien auch auf die Flex und Flora Förder-Kopiervorlagen verwiesen, die zu jedem Lernabschnitt die passenden Förderangebote enthalten.

Viel Erfolg und Freude bei der Arbeit mit dem Flex und Flora Diagnoseheft wünscht Ihnen

Ihr Flex und Flora Team

Inhaltsverzeichnis

Sprache untersuchen

Seite

S1   Selbstlaute und Silben kennen   7

S2   Das ABC kennen   9

S3   Nomen und Artikel kennen   11

S4   Verben und Satzzeichen kennen   13

S5   Adjektive und Wortfamilien kennen   15

Richtig schreiben

R1   Richtig abschreiben   17

R2   Mit der Wörterliste arbeiten   19

R3   Nomen und Satzanfänge großschreiben   21

R4   Die Strategie **Verlängern** nutzen   23

R5   Die Strategien **Wortbausteine** und **Ableiten** nutzen   25

R6   Offene und geschlossene Silben und Wörter mit **ie** kennen   27

		Seite
Texte schreiben		
T1	Einen Steckbrief schreiben	29
T2	Eine Postkarte schreiben	31
T3	Einen Text überarbeiten	33
T4	Eine Erlebnisgeschichte planen	35
T5	Eine Einladung schreiben	37
Lesen		
L1	Wörter und Sätze lesen	39
L2	Kurze Texte lesen	41
L3	Eine Tabelle lesen	43
L4	Lesestrategien anwenden	45
L5	Fragen zu einem Text beantworten	47

Lernbegleitende Diagnosen: Übersicht

Sprache untersuchen

- S1 — Selbstlaute und Silben kennen
- S2 — Das ABC kennen
- S3 — Nomen und Artikel kennen
- S4 — Verben und Satzzeichen kennen
- S5 — Adjektive und Wortfamilien kennen

Richtig schreiben

- R1 — Richtig abschreiben
- R2 — Mit der Wörterliste arbeiten
- R3 — Nomen und Satzanfänge großschreiben
- R4 — Die Strategie **Verlängern** nutzen
- R5 — Die Strategien **Wortbausteine** und **Ableiten** nutzen
- R6 — Offene und geschlossene Silben und Wörter mit **ie** kennen

Texte schreiben

- T1 — Einen Steckbrief schreiben
- T2 — Eine Postkarte schreiben
- T3 — Einen Text überarbeiten
- T4 — Eine Erlebnisgeschichte planen
- T5 — Eine Einladung schreiben

Lesen

- L1 — Wörter und Sätze lesen
- L2 — Kurze Texte lesen
- L3 — Eine Tabelle lesen
- L4 — Lesestrategien anwenden
- L5 — Fragen zu einem Text beantworten

Name: _____   Datum: _____

Selbstlaute und Silben kennen

1 Markiere die Selbstlaute **a**, **e**, **i**, **o**, **u** in den Wörtern.

2  Markiere die Umlaute **ä**, **ö**, **ü** in den Wörtern.

| Zahn | Motor | Blume |
| Minute | suchen | richtig |

| Blüte | müde | böse |
| König | Käse | kämpfen |

3  Markiere die Zwielaute **au**, **ei** und **eu** in den Wörtern.

| Seite | Mauer | freundlich | Bäume | laut |
| Feuer | einfach | Schaufel | Leute | räumen |

4 Setze die passenden Zwielaute **au**, **ei** und **eu** in die Wörter ein.

B____n   Fr____tag   b____en   w____nen

Z____n   Fr____ndin   t____er   s____ber

5  Markiere die Selbstlaute.
Verbinde die Wörter mit den passenden Silbenbögen.

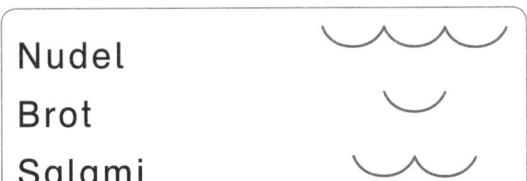

7

Selbstlaute und Silben kennen

Name:	sicher	teilweise	unsicher	nicht bearbeitet
... kann Selbstlaute in Wörtern erkennen (Aufgabe 1).				
... kann Umlaute in Wörtern erkennen (Aufgabe 2).				
... kann Zwielaute in Wörtern erkennen (Aufgabe 3).				
... kann Zwielaute in der Wortmitte einsetzen (Aufgabe 4).				
... kann Selbstlaute in Wörtern erkennen (Aufgabe 5).				
... kann Wörter in Silben gliedern (Aufgabe 5).				

Kommentar/Hinweise:

Name: _____ Datum: _____

Das ABC kennen

1 Schreibe das ABC mit großen Buchstaben.

2 Welcher Buchstabe passt nicht? Streiche ihn durch.

L M E N O P   P Q R A S T   H I J K D L M

3 Markiere die Anfangsbuchstaben der Namen.
Schreibe die Namen nach dem ABC geordnet.

| Conni   Adam   Darius   Bea | Nele   Tim   Leo   Sabrina |

Das ABC kennen

Name:	sicher	teilweise	unsicher	nicht bearbeitet
... kennt alle Buchstaben des Alphabets (Aufgabe 1).				
... kann alle Buchstaben des Alphabets graphomotorisch abbilden (Aufgabe 1).				
... kann falsche Buchstaben in Abc-Sequenzen identifizieren (Aufgabe 2).				
... kann vorgegebene Wörter nach dem Abc ordnen, wenn die Anfangsbuchstaben der Wörter aufeinander folgen (Aufgabe 3a).				
... kann vorgegebene Wörter nach dem Abc ordnen, wenn die Anfangsbuchstaben der Wörter nicht direkt aufeinander folgen (Aufgabe 3b).				

Kommentar/Hinweise:

Name: _____ Datum: _____

Nomen und Artikel kennen

1 Mache die Nomenprobe.
Schreibe die Nomen in der Einzahl und in der Mehrzahl.

| biene   traurig   und   freund   gesund   blatt   versuchen   tüte |

ein / eine	**viele**

2 Schreibe vor die Nomen den bestimmten Artikel oder den unbestimmten Artikel.

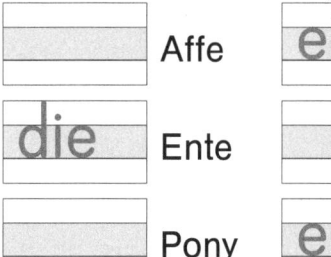

der Arm	____ Arm	____ Affe	ein Affe
das Auge	____ Auge	die Ente	____ Ente
____ Hand	eine Hand	____ Pony	ein Pony

Nomen und Artikel kennen

Name:	sicher	teilweise	unsicher	nicht bearbeitet
... kann Nomen durch die Nomenprobe identifizieren (Aufgabe 1).				
... kann Einzahl und Mehrzahl von Nomen bilden (Aufgabe 1).				
... kann vorgegebenen Nomen den bestimmten Artikel zuordnen (Aufgabe 2).				
... kann vorgegebenen Nomen den unbestimmten Artikel zuordnen (Aufgabe 2).				

Kommentar/Hinweise:

Name: _____ Datum: _____

Verben und Satzzeichen kennen

1 Mache die Verbprobe. Markiere die Verben.

oben	kochen	Flasche	springst	eine
trinkt	Wolke	Zwiebel	bitten	nett

2 Schreibe die Sätze. Markiere in den Verben die Wortbausteine am Ende.

Ich male gern.   Wir

Du   Ihr

Er   Sie

3 Lies das Gespräch. Setze die Satzzeichen . ? und !.

Was machst du am Samstag ___

　　　　　　　Ich fahre ins Schwimmbad ___

　　　　　　　Was macht ihr ___

Wir wissen es noch nicht ___

　　　　　　　Komm doch mit ___

4 Markiere das Verb in jedem Satz in Aufgabe 3.

13

Verben und Satzzeichen kennen

Name:	sicher	teilweise	unsicher	nicht bearbeitet
... kann Verben mit der Verbprobe identifizieren (Aufgabe 1).				
... kann Sätze in unterschiedlichen Personalformen schreiben und die Wortbausteine am Ende des Verbs anpassen (Aufgabe 2).				
... kann am Satzende selbstständig Punkte setzen (Aufgabe 2).				
... kann Satzschlusszeichen in einen Text einsetzen (Aufgabe 3).				
... kann Verben in Sätzen erkennen und markieren (Aufgabe 4).				

Kommentar/Hinweise:

Adjektive und Wortfamilien kennen

1 Schreibe 4 Adjektive.

2 Setze die Adjektive passend ein.

| lang | krumm | dick |

die Banane  Das ist eine _____.

das Buch  Das ist ein _____.

der Schal  Das ist ein _____.

3 Markiere in den Wörtern den Wortstamm **Frag/frag**.

abfragen   Frage   Umfrage   Befragung   Fragebogen   gefragt

4 Welcher Wortstamm kommt in jedem Satz vor? Markiere ihn.

In unserem Ort gibt es ein großes Kaufhaus.

Dort kann man viele Dinge einkaufen.

Ole möchte ein Buch über Autos kaufen.

S5 Adjektive und Wortfamilien kennen

Name:	sicher	teilweise	unsicher	nicht bearbeitet
... kennt Adjektive (Aufgabe 1).				
... kann Adjektive grammatisch richtig in Sätze einsetzen (Aufgabe 2).				
... kann semantisch passende Adjektive in Sätze einsetzen (Aufgabe 2).				
... kann den Wortstamm einer Wortfamilie identifizieren (Aufgabe 3).				
... kann den Wortstamm einer Wortfamilie im Text identifizieren (Aufgabe 4).				

Kommentar/Hinweise:

Name: _____ Datum: _____

Richtig abschreiben

1 Schreibe die Wörter ab. Arbeite Schritt für Schritt.

- Turm
- Höhle
- Straße
- Pullover
- Erdbeere

2 Schreibe die Sätze ab. Arbeite Schritt für Schritt.

Die Fliege brummt am Fenster.

Der Fuchs versteckt sich im Bau.

17

Richtig abscreiben

Name: _____

	sicher	teilweise	unsicher	nicht bearbeitet
... kann Wörter orthographisch richtig abschreiben (Aufgabe 1).				
... kann Sätze orthographisch richtig abschreiben (Aufgabe 2).				

Kommentar/Hinweise:

Name: _____ Datum: _____

Mit der Wörterliste arbeiten

1
Suche die Wörter in der Wörterliste im Heft **Richtig schreiben**.
Welches **fett** gedruckte Wort steht über dem Wort? Schreibe.

Vogel	**Junge**	**Hals**	**schneiden**

2
Suche die Wörter in der Wörterliste im Heft **Richtig schreiben**. Schreibe ...

a) das kürzeste Wort mit dem Buchstaben **C**: _____

b) das letzte Wort mit dem Buchstaben **T**: _____

3
Suche jeweils das erste Wort mit diesen beiden Buchstaben.

4
Suche diese Tiere in der Wörterliste im Heft **Richtig schreiben**.
Schreibe die Wörter und die Seitenzahl.

Tiername	Seite		Tiername	Seite

19

Mit der Wörterliste arbeiten

Name:	sicher	teilweise	unsicher	nicht bearbeitet
... kann sich in der Wörterliste orientieren (Aufgabe 1–4).				
... kann die Wörterliste nutzen (Aufgabe 1–4).				
... kann zu zwei vorgegebenen Buchstaben Wörter in der Wörterliste finden (Aufgabe 3).				
... kann die Wörterliste als Rechtschreibhilfe nutzen und zu Bildern Wörter richtig daraus abschreiben (Aufgabe 4).				

Kommentar/Hinweise:

Name: _____ Datum: _____

Nomen und Satzanfänge großschreiben

1 Mache die Nomenprobe.
Schreibe die Nomen in der Einzahl und in der Mehrzahl.

| die | tante | heute | neu | pflaume | schwein | alt | stift |

ein / eine → Einzahl

viele → Mehrzahl

2 Setze die Punkte an den Satzenden.
Verbessere die Satzanfänge im Text.

Mats hat heute Geburtstag am Morgen

ist er ganz früh aufgewacht die Tür geht auf

Mama und Papa haben ein Geschenk

in der Hand beide singen ein Lied voller Freude

packt Mats sein Geschenk aus

Nomen und Satzanfänge großschreiben

Name: _____

	sicher	teilweise	unsicher	nicht bearbeitet
... kann Nomen identifizieren (Aufgabe 1).				
... kann Nomen großschreiben (Aufgabe 1).				
... kann Sätze erkennen und Satzschlusszeichen setzen (Aufgabe 2).				
... kann Satzanfänge erkennen und verbessern (Aufgabe 2).				

Kommentar/Hinweise:

Die Strategie Verlängern nutzen

1 Verlängere: Bilde die Mehrzahl der Nomen.
Schreibe sie dann mit **d** oder **t**, **g** oder **k**, **b** oder **p**.

	verlängern →	darum schreibt man
Schil**?**		
Stif**?**		
Schran**?**		
Käfi**?**		
Die**?**		

2 Setze **d** oder **t**, **g** oder **k** ein.
Das Verlängern der Nomen hilft dir.

Zwer___ Zibo feiert mit den Elfen seinen Geburtsta___.

Auch der Köni___ kommt in den Wal___.

Sein Geschen___ ist ein kostbarer Rin___.

Als der Mon___ aufgeht, ist das Fes___ zu Ende.

Die Strategie Verlängern nutzen

Name: _____

	sicher	teilweise	unsicher	nicht bearbeitet
... kann die Strategie des Verlängerns bei Nomen mit **d** oder **t** im Auslaut anwenden (Aufgabe 1).				
... kann die Strategie des Verlängerns bei Nomen mit **g** oder **k** im Auslaut anwenden (Aufgabe 1).				
... kann die Strategie des Verlängerns mit **b** oder **p** im Auslaut anwenden (Aufgabe 1).				
... kann die Rechtschreibstrategie **Verlängern** im Kontext eines Textes anwenden (Aufgabe 2).				

Kommentar/Hinweise:

Name: _____   Datum: _____

Die Strategien Wortbausteine und Ableiten nutzen

 **1** Kreise in den Wörtern die Wortstämme **Schlaf/schlaf** und **Wasch/wasch** ein. Schreibe die Wörter geordnet in die Tabelle.

| abwaschen | Waschmaschine | Schlafsack | Waschbecken |
| ausschlafen | verschlafen | verwaschen | Schlafanzug |

Wortfamilie **schlafen** | Wortfamilie **waschen**

 **2** ä oder e? äu oder eu?
Bilde die Einzahl und leite ab. Markiere die richtigen Buchstaben.

In kalten N[ä/e]chten gibt es viele St[ä/e]rne am Himmel.

Viele Bl[ä/e]tter fallen von den B[äu/eu]men.

Die Fr[äu/eu]nde wollen in ihren Z[ä/e]lten schlafen.

      25

Die Strategien Wortbausteine und Ableiten nutzen

	sicher	teilweise	unsicher	nicht bearbeitet
Name: _____				
... kann den Wortstamm in Wörtern identifizieren (Aufgabe 1).				
... kann die Rechtschreibstrategie **Ableiten** anwenden (Aufgabe 2).				

Kommentar/Hinweise:

Name: _____ Datum: _____

Offene und geschlossene Silben und Wörter mit ie kennen

1 Zeichne Silbenbögen. Markiere den Selbstlaut in der ersten Silbe.
Schreibe _ oder . unter den markierten Selbstlaut.

| Pinsel | Feder | Würfel | Löwe |
| fliegen | schenken | schreiben | tasten |

2 Wähle für jeden Satz ein Wort von Aufgabe 1 und schreibe.

Die erste Silbe ist geschlossen.

Der Selbstlaut in der ersten Silbe klingt lang.

Die erste Silbe endet mit einem Selbstlaut.

3 Zeichne Silbenbögen und markiere **ie**.
Schreibe die einsilbige Form und markiere **ie**.

viele Tiere — ein   wir fliegen — es

viele Ziele — ein   wir riechen — es

viele Briefe — ein   wir gießen — es

R6 Offene und geschlossene Silben und Wörter mit ie kennen

	sicher	teilweise	unsicher	nicht bearbeitet
Name:				
... kann Selbstlaute in Wörtern erkennen (Aufgabe 1).				
... kann Wörter in Silben gliedern (Aufgabe 1 und 3).				
... kann offene und geschlossene Silben unterscheiden (Aufgabe 2).				
... kann die Länge des Vokals in der ersten Silbe eines Wortes bestimmen (Aufgabe 1 und 2).				
... kann erkennen, dass **ie** in der einsilbigen Form erhalten bleibt (Aufgabe 3).				

Kommentar/Hinweise:

Name: _____ Datum: _____

Einen Steckbrief schreiben

 1 Lies den Text.

Die Weinbergschnecke

Die Weinbergschnecke lebt in schattigen, feuchten Gebieten. Sie ernährt sich von Pflanzen. Diese Schnecke kann bis zu 10 Zentimeter groß werden. Besonders auffällig ist ihr Schneckenhaus. Bei Gefahr zieht sich die Weinbergschnecke darin zurück.

 **2** Schreibe einen Steckbrief für die Weinbergschnecke. Benutze diese Oberbegriffe in einer sinnvollen Reihenfolge.

Besonderheit	Größe	Name	Lebensraum	Nahrung

Einen Steckbrief schreiben

Name:	sicher	teilweise	unsicher	nicht bearbeitet
... kann die Oberbegriffe eines Steckbriefs in eine sinnvolle Reihenfolge bringen, z. B. den Namen des Tieres zuerst (Aufgabe 2).				
... kann Oberbegriffen sinnvolle Informationen zuordnen (Aufgabe 2).				
... kann die formalen Vorgaben eines Steckbriefs einhalten (Aufgabe 2).				

Kommentar/Hinweise:

Name: _____ Datum: _____

Eine Postkarte schreiben

Emil schreibt seinem Opa eine Postkarte zum Geburtstag.
Sein Opa heißt Karl Wipfler.
Er wohnt in der Kreuzstraße 25 in Lübeck.
Die Postleitzahl von Lübeck ist 23568.

1 Schreibe die Adresse des Empfängers auf die Postkarte.

2 Überlege dir einen kurzen Text zum Geburtstag.
Schreibe ihn auf die Postkarte.
Denke an Anrede und Grüße.

Eine Postkarte schreiben

Name: _____

	sicher	teilweise	unsicher	nicht bearbeitet
... kann eine Adresse richtig auf eine Postkarte schreiben (Aufgabe 1).				
... kann einen kurzen Glückwunschtext formulieren (Aufgabe 2).				
... kann Anrede- und Grußformeln richtig verwenden (Aufgabe 2).				

Kommentar/Hinweise:

Detaillierte Hinweise auf mögliche Fördermaßnahmen finden sich in der Handreichung im Kapitel *Hilfen zur Diagnose*.

KV 94–96
Fö 126

Einen Text überarbeiten

1 Lies den Text.

Unser Sportfest findet auf dem Sportplatz statt.

Meine Klasse beginnt mit dem 50-Meter-Lauf.

die Klasse 1 springt gerade.

Dann gibt es eine Trinkpause.

Dann geht es zur Sprunggrube.

Dann machen wir noch Weitwurf.

am Ende gibt es Melonenstücke für alle. Lecker!

2 Bearbeite die Aufgaben.
a) Markiere die Satzzeichen am Ende der Sätze.
b) 2 Satzanfänge sind kleingeschrieben. Verbessere sie.
c) Im Text beginnen 3 Sätze mit **dann**. Ersetze einige Satzanfänge.
d) Schreibe eine passende Überschrift in die erste Zeile.

Einen Text überarbeiten

Name:	sicher	teilweise	unsicher	nicht bearbeitet
... kann Satzschlusszeichen erkennen (Aufgabe 2a).				
... kann kleingeschriebene Satzanfänge korrigieren (Aufgabe 2b).				
... kann unterschiedliche Satzanfänge einsetzen (Aufgabe 2c).				
... kann eine passende Überschrift zu einem Text finden (Aufgabe 2d).				

Kommentar/Hinweise:

Name: _____ Datum: _____

Eine Erlebnisgeschichte planen

1 Plane eine Erlebnisgeschichte.
a) Wähle ein Thema aus. Kreuze an.

☐ Höhle ☐ Schiff ☐ Pause ☐ Spielplatz

b) Schreibe dein Thema in die Mitte des Gedankenschwarms.
Schreibe passende Wörter.

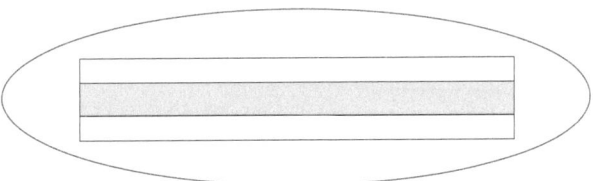

2 Schreibe den Anfang deiner Erlebnisgeschichte.

Gestern habe ich etwas Tolles erlebt. Ich

Eine Erlebnisgeschichte planen

Name: _____

	sicher	teilweise	unsicher	nicht bearbeitet
... kann Schreibideen in einem Gedankenschwarm sammeln (Aufgabe 1).				
... kann zu einem gewählten Thema einen Geschichtenanfang schreiben (Aufgabe 2).				

Kommentar/Hinweise:

Name: _____ Datum: _____

Eine Einladung schreiben

Anlass:	Geburtstagsfeier
Datum:	am 17. Juni
Uhrzeit:	von 14 Uhr bis 18 Uhr
Ort:	Schwimmbad, Marienstr. 12
wichtig:	Badesachen mitbringen

1 Schreibe Mias Einladung zur Geburtstagsfeier. Vergiss die Anrede und die Grüße nicht.

Tim lade ich auch ein.

T5 Eine Einladung schreiben

Name:	sicher	teilweise	unsicher	nicht bearbeitet
... kann mit vorgegebenen Informationen eine Einladung schreiben (Aufgabe 1).				
... kann Anrede- und Grußformeln richtig verwenden (Aufgabe 1).				
... kann die formalen Vorgaben einer Einladung anwenden (Aufgabe 1).				

Kommentar/Hinweise:

Wörter und Sätze lesen

1 Welches Wort passt zum Bild? Kreuze an.

☐ rühren
☐ reiten
☐ rufen

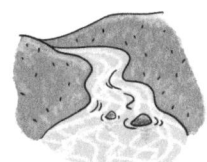
☐ Bauch
☐ Bahn
☐ Bach

☐ Hand
☐ Hund
☐ Hupe

2 Welche 2 Sätze stimmen? Kreuze an.

☐ Die Zitrone ist sauer.
☐ Die Zitrone ist salzig.

☐ Mit einem Stift kann ich schreien.
☐ Mit einem Stift kann ich schreiben.

☐ Der Turm ist hoch.
☐ Der Traum ist hoch.

☐ In der Pause spiele ich gern Basketball.
☐ In der Pause spare ich gern Basketball.

3 Lies und markiere alle Farben im Text.
Male so, wie es im Text steht.

Die Sonne scheint.
Vor dem Haus sitzt ein brauner Hund.
Er spielt mit einem blauen Ball.
Das gelbe Haus
steht auf einer grünen Wiese.
Das Haus hat eine rote Tür
und ein schwarzes Dach.

39

Wörter und Sätze lesen

Name: _____

	sicher	teilweise	unsicher	nicht bearbeitet
... kann das passende Wort zum Bild finden (Aufgabe 1).				
... kann sinnvolle Sätze identifizieren (Aufgabe 2).				
... kann Farbwörter (Adjektive) in einem Text finden und markieren (Aufgabe 3).				
... kann fehlende Bildelemente ergänzen und anmalen (Aufgabe 3).				

Kommentar/Hinweise:

Kurze Texte lesen

1 Lies die Wörter und den Text.
Setze die Wörter in den Text ein. Ein Wort passt nicht.

Der 50-Meter-Lauf

| schneller   gewinnen   Ziel   verlieren   Jungen |

Joschi will beim 50-Meter-Lauf gegen Timo _____.

Der Startschuss fällt und die _____ laufen los.

Am Anfang läuft Timo _____.

Aber Joschi sprintet los und kommt vor Timo ins _____.

2 Suche das passende Bild zum Text.
Kreuze an.

Eva hat ein Tier gefunden.
Es sitzt im Garten unter einem Baum.
Dort versteckt es sich unter einem Blätterhaufen.
Manchmal kommt es heraus.
Aber leider kann Eva nicht mit dem Tier kuscheln.
Es hat viel zu viele Stacheln.

41

Kurze Texte lesen

Name: _____

	sicher	teilweise	unsicher	nicht bearbeitet
... kann vorgegebene Wörter semantisch passend in einen Lückentext einsetzen (Aufgabe 1).				
... kann einen kurzen Text sinnverstehend lesen (Aufgabe 2).				

Kommentar/Hinweise:

Name: _____ Datum: _____

Eine Tabelle lesen

1 Lies die Tabelle.

AG-Plan

Montag	Dienstag	Mittwoch	Donnerstag	Freitag
Tanzen	Kunst	Tanzen	Kochen	Kunst
Computer	Fußball	Computer	Computer	Fußball
Chor	–	–	–	Chor

2 Kreuze die richtigen Antworten an.

a) An welchen beiden Tagen finden 3 AGs statt?
☐ Montag und Donnerstag   ☐ Montag und Freitag

b) An wie vielen Tagen findet die Chor-AG statt? ☐ 1 ☐ 2 ☐ 3

c) Welche AG findet nur an einem Tag statt? ☐ Kunst ☐ Kochen

3 Lies die Sätze und vergleiche mit der Tabelle.
Kreuze die richtigen Sätze an.

☐ An einem Tag gibt es keine AG.
☐ Es gibt jeden Tag mindestens 2 AGs, manchmal sogar 3.
☐ Die AG Tanzen findet an jedem Tag statt.
☐ Die Kunst-AG und die Fußball-AG finden beide am gleichen Tag statt.

Eine Tabelle lesen

Name: _____

	sicher	teilweise	unsicher	nicht bearbeitet
... kann einer Tabelle Informationen entnehmen (Aufgabe 2).				
... kann Aussagen zum Inhalt einer Tabelle überprüfen (Aufgabe 3).				

Kommentar/Hinweise:

Lesestrategien anwenden

1 Lies die Überschrift und schau dir das Foto an.
Warum heißt das Insekt **Wandelndes Blatt**? Schreibe deine Vermutung.

_____
_____

2 Lies den Text Absatz für Absatz.
Beantworte die Fragen.

Wandelndes Blatt

Diese Insekten leben in Asien. Sie sind nur schwer
auf Bäumen zu entdecken. Sie sehen wie Blätter aus.

Wandelndes Blatt

a) Was passt zu diesem Absatz? Kreuze an.

☐ Nahrung   ☐ Aussehen

Die Insekten sind meistens völlig regungslos.
Wenn ein Windhauch die echten Blätter bewegt,
bewegen sie sich auch. Dadurch schützen sie sich vor Feinden.

b) Was passt zu diesem Absatz? Kreuze an.

☐ Verhalten   ☐ Größe

3 Warum passt der Name **Wandelndes Blatt** zu diesem Insekt?

_____
_____

45

Lesestrategien anwenden

Name:	sicher	teilweise	unsicher	nicht bearbeitet
... kann eine Vermutung zu einem Sachtext anstellen (Aufgabe 1).				
... kann Zwischenüberschriften zu Absätzen auswählen (Aufgabe 2).				
... kann den Text sinnverstehend lesen und einen Bezug zu Überschrift und Bild herstellen (Aufgabe 3).				

Kommentar/Hinweise:

Fragen zu einem Text beantworten

1 Lies die Geschichte.

Ein Ausflug zum See

1. Lea und Julian wollen mit ihren Eltern an den See fahren.
2. Ihre Mama packt ein leckeres Picknick zusammen.
3. Äpfel, Bananen, eine Flasche Wasser und sogar
4. einen kleinen Kuchen verstaut sie im Fahrradkorb.
5. Draußen wartet Papa schon mit den Rädern.
6. Dann geht es los. Schnell sind die vier
7. am See angekommen. Lea und Julian
8. ziehen sich um und springen in den kühlen See.
9. Als sie wieder aus dem Wasser kommen,
10. hat Papa eine Decke auf der Wiese ausgebreitet
11. und das Picknick ausgepackt. Das ist ein toller Ausflug.

2 Was packt die Mutter für das Picknick ein? Markiere im Text.

3 Lies die Fragen. Kreuze an.
a) Wie viele Personen machen einen Ausflug? ☐ 2 ☐ 3 ☐ 4
b) Womit fahren alle zum See? ☐ Auto ☐ Fahrrad ☐ Bus
c) Was machen die Kinder am See? ☐ baden ☐ spielen ☐ lesen

47

Fragen zu einem Text beantworten

Name:	sicher	teilweise	unsicher	nicht bearbeitet
... kann eine inhaltlich vorgegebene Textstelle im Text markieren (Aufgabe 2).				
... kann Fragen zum Text beantworten (Aufgabe 3).				

Kommentar/Hinweise: